Libro de cocina de ayuno intermitente 2021

Dieta Keto y ayuno intermitente para principiantes. La guía definitiva para combinar la dieta cetogénica y con recetas de pérdida de peso rápida.

Además, la información contenida en las páginas siguientes tiene únicamente fines informativos, por lo que debe considerarse universal. Como corresponde a su naturaleza, se presenta sin garantía de su validez prolongada ni de su calidad provisional. Las marcas comerciales que se mencionan se hacen sin el consentimiento por escrito y no pueden considerarse en modo alguno como un respaldo del titular de la marca.

Índice de contenidos

—

7

RECETAS PARA EL DESAYUNO

Pan de arándanos

Tiempo de preparación: 10 minutos

Tiempo de cocción: 1 hora y 15 minutos

Porciones: 12

Ingredientes:

- ½ taza de leche de coco
- ½ cucharadita de bicarbonato de sodio
- ½ taza de eritritol en polvo
- ½ cucharadita de stevia en polvo
- ½ cucharadita de sal
- bolsa (6 onzas) de arándanos rojos
- 1 ½ cucharadita de levadura en polvo
- tazas de harina de almendra
- huevos
- cucharada de mantequilla derretida sin sal

Direcciones:

1. Precaliente el horno a 350.
2. Añadir la harina, el eritritol, la levadura en polvo, la stevia, la sal y el bicarbonato de sodio en un bol y combinar.
3. En otro recipiente, añada la mantequilla, la leche de coco, los huevos y mezcle bien.
4. Combine la mezcla de eritritol con la de mantequilla. A continuación, añada los arándanos rojos y mézclelos. Póngalo en el molde para pan.
5. Hornear durante 1 hora y 15 minutos.
6. Enfriar, cortar en rodajas y servir.

Nutrición: Calorías: 179 Grasas: 15g Carbohidratos: 7g Proteínas: 6,4g

Tortilla enrollada al estilo de las salchichas

Tiempo de preparación: 5 minutos

Tiempo de cocción: 8 minutos

Raciones: 2

Ingredientes:

- cucharada de espinacas picadas
- 1 cucharada de crema batida
- huevos
- oz de pavo molido
- 2 cucharadas de queso mozzarella rallado

Direcciones:

1. Saque una sartén, póngala a fuego medio, añada el pavo molido y cocínelo durante 5 minutos hasta que esté bien cocido.
2. Mientras tanto, rompa los huevos en un bol, añada la cobertura batida y las espinacas y bata hasta que se combinen.
3. Cuando la carne esté cocida, póngala en un plato, luego cambie el fuego a nivel bajo y vierta la mezcla de huevos.
4. Cocinar los huevos durante 3 minutos hasta que el fondo esté firme, luego darle la vuelta y cocinar durante 3 minutos hasta que la tortilla esté firme, cubriendo la sartén.
5. Espolvorear el queso sobre la tortilla, cocinar durante 1 minuto hasta que el queso se haya derretido, y luego deslizar la tortilla a un plato.
6. Untar la tortilla con carne picada, enrollarla, cortarla por la mitad y servirla.

Nutrición: Calorías: 126 Grasas: 9 Proteínas: 10 Carbohidratos: 1

Plato de ensalada de aguacate

Tiempo de preparación: 8 minutos

Tiempo de cocción: 5 minutos

Raciones: 2

Ingredientes:

- ½ de un aguacate mediano, en rodajas
- cucharada de vinagre de sidra de manzana
- 1 cucharada de aceite de oliva
- 4 oz de lechuga picada
- 4 rebanadas de tocino picado

Direcciones:

1. Prepara el tocino y para ello, pon una sartén a fuego medio y cuando esté caliente, pon el tocino picado y deja que se cocine de 5 a 8 minutos hasta que se dore.
2. A continuación, distribuye la lechuga y el aguacate entre dos platos, cubre con el bacon, rocía con aceite de oliva y sidra de manzana y sirve.

Nutrición: Calorías: 14 Grasas: 6 Proteínas: 2 Carbohidratos: 1

Crema de Poder con Fresa

Tiempo de preparación: 5 minutos

Tiempo de cocción: 0

Raciones: 2

Ingredientes:

- cucharada de aceite de coco
- cucharadita de extracto de vainilla, sin endulzar
- onzas de crema de coco, entera
- oz de fresas frescas

Direcciones:

1. Saque un tazón grande, ponga todos los ingredientes en él y luego mézclelos con una batidora hasta que estén suaves.
2. Distribuya uniformemente entre dos cuencos y luego sirva.

Nutrición: Calorías: 214 Grasas: 3 Proteínas: 4 Carbohidratos: 2

Panqueque salado intermitente

Tiempo de preparación: 5 minutos

Tiempo de cocción: 5 minutos

Raciones: 2

Ingredientes:

- ¼ de taza de harina de almendra
- ½ cucharada de mantequilla sin sal
- huevos
- oz de queso crema, ablandado

Direcciones:

1. Saca un bol, echa los huevos, bátelos bien hasta que queden esponjosos y luego bate la harina y el queso crema hasta que estén bien combinados.
2. Saque una sartén, póngala a fuego medio, añada la mantequilla y cuando se derrita, deje caer la masa de las tortitas en cuatro secciones, extiéndala uniformemente y cocínela durante 2 minutos por cada lado hasta que se dore.

Nutrición: Calorías: 167 Grasas: 15 Proteínas: 2 Carbohidratos: 1

Mezcla de buñuelos de verduras

Tiempo de preparación: 5 minutos

Tiempo de cocción: 7 minutos

Raciones: 2

Ingredientes:

- ½ cucharadita de levadura nutricional
- oz de brócoli picado
- 1 calabacín rallado, exprimido
- huevos
- cucharada de harina de almendra

Direcciones:

1. Envuelve el calabacín rallado en una gasa, retuércela bien para eliminar el exceso de humedad y, a continuación, pon el calabacín en un bol.
2. Añada el resto de los ingredientes, excepto el aceite, y bata bien hasta que se combinen.
3. Saque una sartén, póngala a fuego medio, añada aceite y cuando esté caliente, deje caer la mezcla de calabacín en cuatro porciones, déles forma de hamburguesas planas y cocínelas durante 4 minutos por cada lado hasta que estén bien cocidas.

Nutrición: Calorías: 191 Grasas: 10 Proteínas: 1 Carbohidratos: 1

Mezcla de espinacas y huevos

Tiempo de preparación: 5 minutos

Tiempo de cocción: 20 minutos

Porciones: 4

Ingredientes:

- cucharada de aceite de oliva
- ½ cucharadita de pimentón ahumado
- 12 huevos, batidos
- tazas de espinacas tiernas
- Sal y pimienta negra al gusto

Direcciones:

1. Combine todos los ingredientes en un bol, excepto el aceite, y bátalos bien.
2. Caliente su freidora a 360 grados F, añada el aceite, caliéntelo, añada la mezcla de huevos y espinacas, tápelo, cocínelo durante 20 minutos, divídalo en platos y sírvalo.

Nutrición: Calorías 220 Grasas 11 Fibra 3 Carbohidratos 4 Proteínas 6

Gofres salados de jamón y queso

Tiempo de preparación: 10 minutos

Tiempo de cocción: 10 minutos

Raciones: 2

Ingredientes:

- 2 onzas (57 g) de filete de jamón, picado
- 2 onzas (57 g) de queso Cheddar rallado
- 8 huevos
- cucharadita de polvo de hornear
- Albahaca, al gusto
- Del armario:
- 12 cucharadas de mantequilla derretida
- Aceite de oliva, según sea necesario
- 1 cucharadita de sal marina
- Equipo especial:
- Una gofrera

Direcciones:

1. Precalentar la gofrera y reservar.
2. Romper los huevos y guardar las yemas y las claras en dos cuencos separados.
3. Añadir la mantequilla, la levadura en polvo, la albahaca y la sal a las yemas de huevo. Batir bien. Incorporar el jamón picado y remover hasta que esté bien mezclado. Reservar.
4. Condimentar ligeramente las claras de huevo con sal y batirlas a punto de nieve.
5. Añadir las claras de huevo al bol de la mezcla de yemas. Dejar reposar unos 5 minutos.

---

6. Cubrir ligeramente la gofrera con el aceite de oliva. Vierta lentamente la mitad de la mezcla en la gofrera y cocine durante unos 4 minutos. Repita la operación con el resto de la mezcla de huevos.
7. Sacar de la gofrera y servir caliente en dos platos.

Nutrición: Calorías: 636 Grasas: 50,2g Proteínas: 45,1g Carbohidratos netos: 1,1g

RECETAS DE ALMUERZO

Bolas crujientes de canela

Tiempo de preparación: 5 minutos

Tiempo de cocción: 10 minutos

Porciones: 1

Ingredientes:

- Mantequilla sin sal

- Coco rallado sin azúcar

- Cardamomo verde molido

- Extracto de vainilla

- Canela molida

Direcciones:

1. Poner la mantequilla a temperatura ambiente.

2. Tostar el coco rallado con cuidado hasta que se dore un poco.

3. Mezclar la mantequilla, la mitad del coco y las especias.

4. Formar bolas del tamaño de una nuez. Rodar en el resto del coco.

5. Conservar en la nevera o en el congelador.

Nutrición: Calorías: 432 Proteínas: 23 Gramos Grasas: 3 Gramos Carbohidratos netos: 5 Gramos

Tarta de queso intermitente y arándanos

Tiempo de preparación: 15 minutos

Tiempo de cocción: 60 minutos

Raciones: 2

Ingredientes:

- La corteza:

- 1¼ tazas de harina de almendra

- 2 oz. de mantequilla

- 2 cucharadas de eritritol

- ½ cucharadita de extracto de vainilla

- Relleno:

- 20 oz. de queso crema

- ½ taza de nata para montar o de crème fraiche

- 2 huevos

- 1 yema de huevo

- 1 cucharadita de cáscara de limón

- ½ cucharadita de extracto de vainilla

- 2 oz. de arándanos frescos (opcional)

Direcciones:

1. Precaliente el horno a 350°F.

2. Unte con mantequilla un molde desmontable de 9 pulgadas y forre la base con papel pergamino.

3. A continuación, derrita la mantequilla para la corteza y caliéntela hasta que desprenda un aroma a nuez. Esto le dará a la corteza un sabor casi a caramelo.

4. Retirar del fuego y añadir la harina de almendras y la vainilla. Combínelos en una masa firme y presione la masa en la base del molde. Hornee durante unos 8 minutos, hasta que la corteza se dore ligeramente. Aparte la corteza y déjela enfriar mientras prepara el relleno.

5. Combinar el queso crema, la crema de leche, los huevos, la ralladura de limón y la vainilla. Combine bien estos ingredientes y asegúrese de que no haya grumos. Vierta esta mezcla de queso sobre la corteza.

6. Suba la temperatura del horno a 400°F y hornee durante otros 15 minutos.

7. Bajar el fuego a 230°F y hornear durante otros 45-60 minutos.

8. Apagar el fuego y dejar que el postre se enfríe en el horno. Retíralo cuando se haya enfriado por completo y mételo en la nevera para que repose toda la noche. Sírvelo con arándanos frescos.

Nutrición: Calorías: 158 Proteínas: 5 Gramos Grasas: 8 Gramos Carbohidratos netos: 21 Gramos

Crème Brule de jengibre intermitente

Tiempo de preparación: 15 minutos

Tiempo de cocción: 30 minutos

Porciones: 6

Ingredientes:

- 1¾ tazas de nata para montar

- 2 cucharaditas de especias para pastel de calabaza

- 2 cucharadas de eritritol (edulcorante natural)

- ¼ de cucharadita de extracto de vainilla

- 4 yemas de huevo

- ½ clementina (opcional)

Direcciones:

1. Precalentar el horno a 360°F.

2. Romper los huevos para separarlos y colocar las claras y las yemas en dos cuencos distintos. En esta receta solo utilizaremos las yemas, así que guarda las claras para un día lluvioso.

3. Añade un poco de nata a un cazo y llévala a ebullición junto con las especias, el extracto de vainilla y el edulcorante mezclados.

4. Añadir la mezcla de nata caliente a las yemas de huevo. Hazlo lentamente, añadiendo sólo un poco cada vez, mientras bates.

5. Viértalo en ramequines aptos para el horno o en pequeños cuencos de Pyrex colocados firmemente en una fuente de horno más grande con lados grandes.

6. Añade un poco de agua a la fuente más grande con los ramequines hasta que llegue a la mitad de los ramequines. Asegúrese de que no entre agua en los moldes. El agua ayuda a que la crema se cocine suave y uniformemente para obtener un resultado cremoso y suave.

7. Hornéalo durante unos 30 minutos. Saca los ramequines de la fuente de horno y deja enfriar el postre.

8. Puedes disfrutar de este postre tanto caliente como frío, también puedes añadir un gajo de clementina por encima.

Nutrición: Calorías: 321 Proteínas: 14 Gramos Grasa: 1 Gramo Carbohidratos netos: 11 Gramos

Bistec con brócoli

Tiempo de preparación: 5 minutos

Tiempo de cocción: 5 minutos

Porciones: 3

Ingredientes:

- 1/2 cebolla roja pequeña cortada en rodajas finas
- 3 cucharadas de vinagre de vino tinto
- 1 pizca de sal kosher
- 1 pizca de pimienta negra recién molida
- 5 cucharadas de aceite de oliva extra virgen divididas
- 1 y 1/4 lb. de filete de falda cortado
- 1 cucharadita de cilantro molido
- 1 cabeza de brócoli pequeña cortada en rodajas finas
- 4 c. de Mache
- 1/4 de taza de semillas de girasol tostadas
- 4 oz., 1/4 de taza de ricotta rallada

Direcciones:

1. Combine el vinagre y aproximadamente 1/2 cucharadita de sal en un bol. A continuación, póngalo a un lado

2. Mientras tanto, pulsa la función de saltear de tu olla instantánea y calienta aproximadamente 1 cucharada en ella; luego sazona el filete con el cilantro, la sal y la pimienta.

---

3. Cierre la tapa de su olla instantánea

4. Cocinar durante unos 5 minutos a una temperatura de 365°F

5. Agregue el brócoli, el mache, las semillas de girasol y las 4 cucharadas restantes de aceite a las cebollas y revuélvalas para combinarlas.

6. Sazona el filete con una pizca de sal y la pimienta.

7. Guía de almacenamiento, congelación, descongelación y recalentamiento:

8. Para guardar la cena, divídela entre 3 recipientes; luego pon los recipientes en el refrigerador a una temperatura de unos 40°F. Cuando esté listo para servir la cena, saque los recipientes del frigorífico y caliéntelo en el microondas durante unos 4 minutos

Nutrición: Calorías: 460 Grasas: 37,6g Carbohidratos: 8,5g Proteínas 21,7g Azúcar: 2,3g

Chili en olla instantánea

Tiempo de preparación: 5 minutos

Tiempo de cocción: 30 minutos

Raciones: 2

Ingredientes:

- 1 libra de carne molida

- 1 libra de salchicha molida

- 1 Pimiento verde mediano picado

- 1/2 cebolla amarilla mediana picada

- 1 lata de 6 oz. de pasta de tomate

- 2 cucharadas de aceite de oliva

- 1 cucharada de aceite de aguacate

- 1 cucharada de chile en polvo

- ½ cucharada de comino molido

- 3 ó 4 dientes de ajo picados

- 1/3 a ½ taza de agua

- 1 lata de tomates cortados en cubos de 14,05 en el jugo de tomate

Direcciones:

1. Precaliente su olla instantánea pulsando el botón "Sauté".

2. Agregue el aceite de oliva y el aceite de aguacate; luego agregue la carne molida y la salchicha a la olla instantánea y cocine hasta que se dore.

3. Una vez que la carne esté dorada pon la Olla Instantánea en la función "mantener caliente/cancelar".

4. Agrega el resto de los **ingredientes:** en tu olla instantánea y mezcla muy bien.

5. Cubra la tapa de la olla instantánea y ciérrela; luego asegúrese de que la válvula de vapor esté sellada

6. Seleccione la función Frijoles/Azúcar durante unos 30 minutos

7. Una vez que el chile esté perfectamente cocinado, la olla instantánea cambiará automáticamente al modo de función "Mantener caliente".

8. Deje que la presión se libere de forma natural, o puede utilizar el método de liberación rápida.

9. Dividir el chile entre 2 recipientes; luego cubrir con perejil picado

10. Guarde los envases en la nevera durante dos días

Nutrición: Calorías: 555 Grasas: 46,5g Carbohidratos: 9,1g Proteínas 24,9g Azúcar: 3g

Tazón de atún Ahi

Tiempo de preparación: 10 minutos

Tiempo de cocción: 5 minutos

Raciones: 2

Ingredientes:

- 1 lb. de atún ahi picado

- 1 cucharada de Aminos de coco

- ½ cucharadita de aceite de sésamo

- 1/4 de taza de mayonesa

- 2 cucharadas de queso crema

- 2 cucharadas de sriracha

- 1 aguacate maduro cortado en dados

- 1/2 taza de kimchi

- ½ taza de cebolla verde picada

- 1 cucharada de aceite de aguacate

- 1 pizca de semillas de sésamo

Direcciones:

1. Añade el aceite de aguacate al bol; luego añade el atún cortado en dados.

2. Añade los aminos de coco, el queso crema, el aceite de sésamo, la mayonesa y la sriracha al bol y remueve muy bien para combinarlos.

3. Añade el aguacate en dados y el kimchi al bol y combínalo muy bien.

4. Divide el Kimchi entre dos recipientes; luego añade las verduras, el arroz de coliflor y la cebolla verde picada con las semillas de sésamo

5. Guarde los envases en el frigorífico durante 2 días.

Nutrición: Calorías: 345 Grasa: 26,5 g Carbohidratos: 6,6 g Proteína 19,8 g Azúcar: 1,4g

Hamburguesas de espinacas y carne rellenas

Tiempo de preparación: 5 minutos

Tiempo de cocción: 8 minutos

Raciones: 2

Ingredientes:

- 1 libra de asado de ternera molido

- 1 cucharadita de sal

- ¾ de cucharadita de pimienta negra molida

- 2 cucharadas de queso crema

- 1 cucharada de aceite de aguacate

- 1 taza de espinacas frescas bien envasadas

- ½ taza de queso mozzarella rallado (4 a 5 oz.)

- 2 cucharadas de queso parmesano rallado

Direcciones:

1. En un tazón grande, combine la carne molida con la sal y la pimienta.

2. Tomar aproximadamente 1/3 de taza de la mezcla y, con las manos mojadas, dar forma a unas 4 hamburguesas de aproximadamente ½ pulgada de grosor. Coloque las hamburguesas en el refrigerador.

3. Poner las espinacas en una cacerola a fuego medio-alto.

4. Tapar la sartén y cocinar durante unos 2 minutos, hasta que las espinacas se marchiten.

5. Escurra las espinacas y déjelas enfriar; luego exprímalas

6. Corta las espinacas y colócalas en un bol; luego incorpora el queso mozzarella, el queso crema, el aceite de aguacate y el parmesano.

7. Con una cucharada de ¼ de taza del relleno, forme 4 hamburguesas; luego cubra con las 4 hamburguesas restantes

8. Sellar los dos bordes de cada hamburguesa

9. Acomodar cada una de las hamburguesas con las manos para que queden redondas

10. Presione cada una de las hamburguesas un poco para hacer una capa gruesa Caliente su sartén a fuego alto

11. Ase las hamburguesas durante unos 6 minutos por cada uno de los dos lados.

12. Dividir las hamburguesas entre 2 recipientes

13. Guardar en la nevera ¡Servir!

Nutrición: Calorías: 450 Grasas: 37 g Carbohidratos: 7 g Proteínas 22 g Azúcar: 1,9 g

Pan de nube bajo en carbohidratos

Tiempo de preparación: 10 minutos

Tiempo de cocción: 15 minutos

Porciones: 3

Ingredientes:

- 1 cucharadita de levadura en polvo

- 1 taza de queso Philadelphia

- 3 Huevo ecológico

Direcciones:

1. Separar las claras de las yemas de los tres huevos. Poner las claras en un bol y las yemas en el otro.

2. Añadir el queso a temperatura ambiente a las yemas y mezclar con una batidora eléctrica hasta obtener una pasta fina.

3. Añadir el bicarbonato a las claras de huevo y mezclar con la batidora.

4. Mezclar suavemente ambas mezclas con una espátula.

5. Precalentar el horno a 300°F. Extiende pequeños círculos de masa en papel pergamino

6. , cocinar durante 15 a 20 minutos.

7. Una vez cocido el pan de nube, déjalo enfriar durante unos 5 minutos

8. Dividir el pan de nube entre 3 envoltorios de plástico; a continuación, plasmar los envoltorios de plástico en dos recipientes

9. Guarde los envases en la nevera durante 3 días

Nutrición: Calorías: 200 Grasas: 17g Carbohidratos: 2g Proteínas 10g Azúcar: 3g

Bruschetta

Tiempo de preparación: 10 minutos

Tiempo de cocción: 45 minutos

Porciones: 3

Ingredientes:

- 1 cucharadita de levadura en polvo

- 1 taza de queso Philadelphia

- 3 Huevo ecológico

- 1 y ½ tazas de aceitunas negras

- 1 alcaparra

- 24 tomates cherry

- orégano

- aceite de oliva

- 1 diente de ajo

Direcciones:

1. Lavar, secar y poner los pimientos en una bandeja de horno cubierta con papel pergamino.

2. Hornee a 400° F durante una hora, dándole la vuelta por el otro lado después de 30 minutos.

3. Poner los pimientos asados en una bolsa de comida durante 15 minutos.

4. Limpiar los pimientos retirando la piel y las semillas.

5. Poner los pimientos en un plato y aliñar con aceite de oliva

6. Lavar, secar y cortar por la mitad los tomates cherry.

7. Calentar una cáscara y asar los tomates por ambos lados.

8. Mezclar las rebanadas de Pan Bruschetta para que estén crujientes por fuera.

9. Frote el diente de ajo en las rebanadas de pan.

10. Poner las aceitunas sin hueso en el bol de una batidora y triturarlas.

11. Rebozar las rodajas con el puré de aceitunas, luego cubrir con los pimientos cortados en filetes, añadir los tomates, algunas alcaparras, espolvorear con orégano y rociar con un poco de aceite de oliva

Nutrición: Calorías: 410 Grasas: 35g Carbohidratos: 7,5g Proteínas 16g Azúcar: 1g

Pizza de coliflor

Tiempo de preparación: 10 minutos

Tiempo de cocción: 20 minutos

Raciones: 2

Ingredientes:

- 1 coliflor

- ½ taza de mozzarella rallada

- 1 huevo ecológico

- 1 taza de jamón blanco

- 1 taza de mozzarella

- 4 cucharadas de salsa de tomate

- ½ taza de queso rallado

- 1 cucharadita de orégano

Direcciones:

1. Cortar la cabeza de coliflor en ramilletes pequeños

2. Rallar la coliflor; calentarla durante 4 minutos en el microondas

3. Esponjar la coliflor con un tenedor

4. Mezclar el huevo y el queso rallado con la coliflor escurrida hasta obtener la masa

5. Extienda la mezcla obtenida en una hoja de papel pergamino y hornee a 400°F hasta que se dore durante unos 15 a 20 minutos.

6. Adorne su pizza con aceitunas y alcaparras y

7. Está listo

8. Corta la pizza; luego divide las porciones entre 2 recipientes y guárdala en la nevera durante 2 días

Nutrición: Calorías: 430 Grasas: 35,4g Carbohidratos: 7g Proteínas 22,8g Azúcar: 3g

GUARNICIONES

Plato de acompañamiento especial de verduras

Tiempo de preparación: 10 minutos

Tiempo de cocción: 12 minutos

Porciones: 4

Ingredientes:

- 2 tazas de arroz de coliflor
- taza de mezcla de zanahorias y judías verdes
- tazas de agua
- ½ cucharadita de chile verde picado
- ½ cucharadita de jengibre rallado
- dientes de ajo picados
- 2 cucharadas de ghee
- canela en rama
- cucharada de semillas de comino
- hojas de laurel
- clavos enteros
- granos de pimienta negra
- cardamomos enteros
- cucharada de stevia
- Una pizca de sal marina

Direcciones:

1. Ponga agua en su olla instantánea, añada el arroz de coliflor, las verduras mixtas, el chile verde, el jengibre rallado, los dientes de ajo, la rama de canela, los clavos de olor enteros y el ghee y remueva.
2. Añade también las semillas de comino, las hojas de laurel, los cardamomos, los granos de pimienta negra, la sal y la stevia, remueve de nuevo, tapa y cocina a fuego alto durante 12 minutos.
3. Deseche la rama de canela, las hojas de laurel, los clavos y el cardamomo, reparta entre los platos y sirva como guarnición.
4. Que lo disfrutes.

Nutrición: Calorías 152, grasas 2, fibra 1, carbohidratos 4, proteínas 6

Gran plato de brócoli

Tiempo de preparación: 10 minutos

Tiempo de cocción: 12 minutos

Porciones: 6

Ingredientes:

- 31 oz de flores de brócoli
- taza de agua
- 5 rodajas de limón
- Una pizca de sal y pimienta negra

Direcciones:

1. Ponga el agua en su olla instantánea, añada la cesta de cocción al vapor, agregue los ramilletes de brócoli y las rodajas de limón, sazone con una pizca de sal y pimienta, tape y cocine a velocidad alta durante 12 minutos.
2. Repartir en los platos y servir como guarnición.
3. Que lo disfrutes.

Nutrición: Calorías 152, grasas 2, fibra 1, carbohidratos 2, proteínas 3

RECETAS METAS

Sloppy Joes

Tiempo de preparación: 15 minutos

Tiempo de cocción: 40 minutos

Porciones: 8

Ingredientes:

- ¼ de taza más 1½ cucharaditas de aceite de aguacate refinado
- cucharadita de semillas de comino
- Dientes de ajo pequeños picados
- trozo picado de raíz de jengibre fresco
- ¼ de taza de cebollas rojas, finamente picadas
- libra (454 g) de carne picada
- 1⅔ tazas de salsa de tomate baja en carbohidratos
- chiles secos enteros triturados
- ¾ de taza de agua
- cucharaditas de curry en polvo
- ½ cucharadita de pimentón
- cucharadita de sal marina gris finamente molida
- ⅓ taza de mitades de nueces de macadamia crudas
- cucharada de vinagre de sidra de manzana
- ½ taza de leche de coco sin azúcar
- ¼ de taza de hojas de cilantro frescas picadas, más para decorar
- endibias, con las hojas separadas, y más para decorar

Direcciones:

1. Hacer los Sloppy Joes: Añade ¼ de taza de aceite, las semillas de comino, el ajo, el jengibre y las cebollas en una cacerola. Cocina a fuego medio durante unos 3 minutos hasta que las cebollas estén fragantes.
2. Añadir la carne de vacuno para cocinarla durante unos 8 minutos hasta que pierda el color rosa. Remover de vez en cuando para romper la carne en pequeños grumos.
3. Añade la salsa de tomate, los chiles triturados, el agua, el curry en polvo, el pimentón y la sal y remueve bien para mezclar. Cubra la tapa parcialmente para que salga el vapor. Llevar a ebullición antes de ajustar el fuego a medio-bajo para cocinar a fuego lento durante 25 minutos.
4. En una sartén a fuego medio-bajo, añadir el aceite restante y las nueces de macadamia. Tostar durante unos 3 minutos hasta que estén ligeramente doradas. Remover constantemente.
5. Tras 25 minutos de cocción a fuego lento, añadir el vinagre y la leche de coco a la mezcla de carne. Ajustar a fuego medio-alto y cocinar durante unos 5 minutos hasta que espese.
6. Añadir el cilantro y las nueces tostadas a la mezcla de carne. Remover bien para mezclar.
7. Repartir las hojas de escarola de forma equitativa en 8 platos. Cubrir con Sloppy Joes usando una cuchara.
8. Adorne la comida con más cilantro y endivias antes de servir.

Nutrición: calorías: 340 grasa: 26,8g carbohidratos totales: 8,1g fibra: 2,7g proteína: 16,5g

Cazuela de queso, aceitunas y salchichas

Tiempo de preparación: 10 minutos

Tiempo de cocción: 15 minutos

Raciones: 2

Ingredientes:

- 3 oz de salchicha
- oz de aceitunas verdes, en rodajas
- 2 huevos
- 4 oz de leche de coco, sin endulzar
- 3 cucharadas de queso cheddar rallado
- Sazonar:
- ¼ de cucharadita de pimienta negra molida
- 1/3 de cucharadita de sal
- 1/3 de cucharadita de mostaza en polvo

Direcciones:

1. Tome una sartén mediana, póngala a fuego medio y cuando esté caliente, añada la salchicha, desmenúcela y cocínela durante 5 minutos hasta que esté cocida.
2. Mientras tanto, rompa los huevos en un bol mediano, añada la leche, la sal, la pimienta negra y la mostaza y bata hasta que se mezclen.
3. Cuando la salchicha esté cocida, añada la mezcla de salchichas a los huevos, añada la cebolla y las aceitunas, 2 cucharadas de queso y remueva hasta que se mezclen.
4. A continuación, vierta la mezcla con una cuchara en una cazuela, cúbrala con una tapa y déjela refrigerar durante 1 hora hasta que se enfríe.
5. Cuando esté listo para hornear, encienda el horno, póngalo a 350 grados F y déjelo precalentar.

6. Espolvoree el queso sobre la cacerola superior y luego hornéela durante 10 minutos hasta que el queso se haya derretido.

7. Sirve.

Nutrición: 351 calorías; 30,6 g de grasas; 15,7 g de proteínas; 1,7 g de carbohidratos netos; 0,9 g de fibra;

Salchicha molida al curry

Tiempo de preparación: 5 minutos

Tiempo de cocción: 15 minutos

Ingredientes:

- 5 oz de salchicha, desmenuzada
- cebolla verde, cortada en rodajas
- oz de espinacas
- 1 onza de caldo de hueso de pollo
- 1 onza de nata para montar
- cucharada de aceite de aguacate
- ½ cucharadita de ajo en polvo
- cucharada de curry en polvo
- ¼ de taza de agua

Direcciones:

1. Tome una cacerola mediana, colóquela a fuego medio, agregue ½ cucharada de aceite y cuando esté caliente, agregue la salchicha molida y cocine de 4 a 5 minutos hasta que esté cocida.
2. Cuando esté hecho, transfiera la salchicha a un bol, añada el aceite restante y, cuando esté caliente, añada la cebolla verde, espolvoree el ajo en polvo y cocine durante 2 minutos hasta que se saltee.
3. Espolvorear con curry en polvo, seguir cocinando durante 30 segundos hasta que esté fragante, verter el caldo de pollo y el agua, añadir la salchicha y las espinacas, remover hasta que se mezclen y cocer a fuego lento durante 5 minutos hasta que espese ligeramente.
4. Pruebe para ajustar la sazón, añada la nata y retire la sartén del fuego.
5. Sirve.

Nutrición: 435 calorías; 42 g de grasas; 12 g de proteínas; 1,4 g de carbohidratos netos; 0,8 g de fibra;

AVES DE CORRAL

Pollo envuelto en tocino con queso

Tiempo de preparación: 5 minutos

Tiempo de cocción: 25 minutos

Raciones: 2

Ingredientes:

- 2 muslos de pollo deshuesados
- 2 tiras de tocino
- 2 cucharadas de queso cheddar rallado
- Sazonar:
- 1/3 de cucharadita de sal
- 2/3 cucharadita de pimentón
- 1/4 de cucharadita de ajo en polvo

Direcciones:

1. Encienda el horno, póngalo a 400 grados F y déjelo precalentar.
2. Mientras tanto, sazone los muslos de pollo con sal, pimentón y ajo por ambos lados, y luego colóquelos en una bandeja para hornear engrasada con aceite.
3. Cubra cada muslo de pollo con una tira de tocino y luego hornee de 15 a 20 minutos hasta que el pollo esté bien cocido y el tocino crujiente.
4. Cuando esté hecho, espolvoree el queso sobre el pollo, continúe horneando durante 5 minutos hasta que el queso se haya derretido y dorado, y luego sirva.

Nutrición: 172,5 calorías; 11,5 g de grasas; 14,5 g de proteínas; 0,5 g de carbohidratos netos; 0 g de fibra;

Judías y salchichas

Tiempo de preparación: 5 minutos

Tiempo de cocción: 6 minutos

Raciones: 2

Ingredientes:

- 4 oz de judías verdes
- 4 oz de salchicha de pollo, en rodajas
- ½ cucharadita de albahaca seca
- ½ cucharadita de orégano seco
- 1/3 de taza de caldo de pollo, de salchicha de pollo
- Sazonar:
- cucharada de aceite de aguacate
- ¼ de cucharadita de sal
- 1/8 cucharadita de pimienta negra molida

Direcciones:

1. Encienda la olla instantánea, coloque todos los ingredientes en su recipiente interior y cierre con la tapa, en posición sellada.
2. Pulse el botón "manual", cocine durante 6 minutos a alta presión y, cuando esté hecho, haga una liberación rápida de la presión.
3. Servir inmediatamente.

Nutrición: 151 calorías; 9,4 g de grasas; 11,7 g de proteínas; 3,4 g de carbohidratos netos; 1,6 g de fibra;

Pollo al pimentón

Tiempo de preparación: 5 minutos

Tiempo de cocción: 25 minutos

Raciones: 2

Ingredientes:

- 2 muslos de pollo deshuesados
- ¼ de cucharada de semillas de hinojo, molidas
- ½ cucharadita de pimentón picante
- ¼ cucharadita de pimentón ahumado
- ½ cucharadita de ajo picado
- Sazonar:
- ¼ de cucharadita de sal
- 2 cucharadas de aceite de aguacate

Direcciones:

1. Encienda el horno, póngalo a 325 grados F y déjelo precalentar.
2. Prepara la mezcla de especias y para ello, coge un bol pequeño, añade todos los ingredientes en él, excepto el pollo, y remueve hasta que estén bien mezclados.
3. Unte con la mezcla todos los lados del pollo, frótela bien en la carne, luego coloque el pollo en una bandeja para hornear y ase de 15 a 25 minutos hasta que esté bien cocido, rociando cada 10 minutos con la grasa.
4. Sirve.

Nutrición: 102,3 calorías; 8 g de grasas; 7,2 g de proteínas; 0,3 g de carbohidratos netos; 0,3 g de fibra;

Pollo Teriyaki

Tiempo de preparación: 5 minutos

Tiempo de cocción: 18 minutos

Raciones: 2

Ingredientes:

- 2 muslos de pollo deshuesados
- 2 cucharadas de salsa de soja
- cucharada de edulcorante swerve
- cucharada de aceite de aguacate

Direcciones:

1. Tome una sartén, colóquela a fuego medio, añada aceite y cuando esté caliente, añada los muslos de pollo y cocínelos durante 5 minutos por lado hasta que se doren.
2. A continuación, espolvorear el azúcar sobre los muslos de pollo, rociar con salsa de soja y llevar la salsa a ebullición.
3. Cambie el fuego a nivel medio-bajo, continúe cocinando durante 3 minutos hasta que el pollo esté uniformemente glaseado, y luego páselo a un plato.
4. Sirve el pollo con arroz de coliflor.

Nutrición: 150 calorías; 9 g de grasas; 17,3 g de proteínas; 0 g de carbohidratos netos; 0 g de fibra;

RECETAS DE MARISCO

Pasta de gambas al ajo y limón

Tiempo de preparación: 10 minutos

Tiempo de cocción: 30 minutos

Porciones: 4

Ingredientes:

- 2 paquetes. Miracle Noodle Angel Hair Pasta
- 4 dientes de ajo
- 2 cucharadas de aceite de oliva
- 2 cucharadas de mantequilla
- lb. Gambas grandes crudas
- .5 de 1 Limón
- .5 cucharaditas de pimentón
- Albahaca fresca (al gusto)
- Pimienta y sal (al gusto)

Direcciones:

1. Escurrir el agua del paquete de fideos y enjuagarlos en agua fría. Métalos en una olla con agua hirviendo durante dos minutos. Pásalos a una sartén caliente a fuego medio para eliminar el exceso de líquido (asado en seco). Apártalos.
2. Utiliza la misma sartén para calentar la mantequilla, el aceite y el ajo machacado. Saltear durante unos minutos pero sin que se doren.
3. Cortar el limón en rodajas y añadirlo al ajo junto con las gambas. Saltee durante aproximadamente tres minutos por cada lado.

---

4. Incorporar los fideos y las especias y remover para mezclar los sabores.

Nutrición: Calorías: 360 Carbohidratos netos: 3,5 g Contenido total de grasa: 21 g Proteínas: 36 g

Salmón con sésamo y jengibre

Tiempo de preparación: 10 minutos

Tiempo de cocción: 20 minutos

Raciones: 2

Ingredientes:

- 1-10 oz. de filete de salmón
- 1-2 cucharaditas de jengibre picado
- 2 cucharadas de vino blanco
- 2 cucharaditas de aceite de sésamo
- cucharada de vinagre de arroz
- Cucharada de sustituto de la salsa de soja de uso intermitente
- cucharada de ketchup sin azúcar
- Cucharada de salsa de pescado - Red Boat

Direcciones:

1. Combine todos los ingredientes en un bote de plástico con tapa hermética (omita el ketchup, el aceite y el vino por ahora). Déjelos marinar durante unos 1o a 15 minutos.
2. En la estufa, prepare una sartén con el ajuste de temperatura alto. Vierta el aceite. Añade el pescado cuando esté caliente, con la piel hacia abajo.
3. Dorar cada lado durante 3-5 minutos.
4. Vierta los jugos marinados a la sartén para que se cocinen a fuego lento cuando se dé la vuelta al pescado. Disponga el pescado en dos platos.
5. Vierte el vino y el ketchup a la sartén y cocina a fuego lento cinco minutos hasta que se reduzca. Sirve con tu verdura favorita.

Nutrición: Calorías: 370 Carbohidratos netos: 2,5 g Contenido total de grasa: 24 g Proteínas: 33 g

Rollos de salmón

Tiempo de preparación: 15 minutos

Tiempo de cocción: 10 minutos

Porciones: 3

Ingredientes:

- cucharada de mantequilla
- ½ taza de queso crema
- cucharada de orégano
- cucharadita de cilantro
- cucharadita de sal
- cucharada de eneldo
- ½ cucharadita de ajo picado
- oz. de nueces, trituradas
- cucharadita de nuez moscada
- 10 oz. de salmón ahumado, en rodajas

Direcciones:

1. En un tazón mediano, con una batidora, ponga la mantequilla y el queso crema, luego mezcle hasta que esté suave y esponjoso.
2. Añade el orégano, el cilantro, la sal, el eneldo, el ajo y las nueces, y remueve con cuidado.
3. Añadir la nuez moscada y remover hasta conseguir una masa homogénea.
4. Poner esta mezcla de crema sobre cada rodaja de salmón y enrollarlas.
5. Colocar los rollos de salmón en la nevera y esperar 10 minutos.
6. Sacar los panecillos de la nevera y servir.

Nutrición: Calorías 349 Carbohidratos 3,98g Grasas 26,9g Proteínas 23,1g

Rissoles de cangrejo

Tiempo de preparación: 10 minutos

Tiempo de cocción: 45 minutos

Porciones: 5

Ingredientes:

- 12 oz. de carne de cangrejo
- 2 huevos batidos
- cucharada de harina de lino
- cucharadita de cebolla en polvo
- cucharada de mantequilla
- cucharadita de sal
- cucharadita de pimienta negra molida
- cucharadita de cebollino
- cucharadita de nuez moscada
- ¼ de taza de leche de almendras
- cucharadas de harina de coco
- cucharada de harina de almendra
- cucharada de aceite de coco

Direcciones:

1. Cortar la carne de cangrejo en trozos pequeños.
2. En un bol, combinar los huevos con la carne de cangrejo, remover para obtener una masa homogénea.
3. Añada la harina de lino, la cebolla en polvo, la mantequilla, la sal y la pimienta negra, y remueva.
4. Añadir el cebollino y la nuez moscada. Mezclar con cuidado.
5. Hacer rissoles medianos y mojarlos en leche de almendras.
6. En un bol, mezclar la harina de coco y la harina de almendras.
7. Sazonar los rissoles con la mezcla de harina.

8. Calentar la sartén con aceite de coco a fuego medio.

9. Freír los rissoles durante 4 minutos por ambos lados.

10. Déjelos enfriar durante 2-3 minutos y sírvalos.

Nutrición: Calorías 229 Carbohidratos 5,98g Grasas 18g Proteínas 12,95g

grab your fork

Bombas de caballa

Tiempo de preparación: 15 minutos

Tiempo de cocción: 10 minutos

Porciones: 4

Ingredientes:

- 10 onzas de caballa picada
- cebolla blanca, pelada y cortada en dados
- cucharadita de ajo picado
- 1/3 de taza de harina de almendra
- huevo batido
- ½ cucharadita de tomillo
- cucharadita de sal
- cucharadita de mostaza
- cucharadita de copos de chile
- ¼ de taza de espinacas picadas
- 4 cucharadas de aceite de coco

Direcciones:

1. Colocar la caballa en la licuadora o en el procesador de alimentos y licuar hasta que la textura sea suave.
2. En un bol, combine la cebolla con la caballa.
3. Añade el ajo, la harina, el huevo, el tomillo, la sal y la mostaza, y remueve bien.
4. Añadir los copos de chile y mezclar la mezcla hasta obtener una masa homogénea.
5. Añadir las espinacas y remover.
6. Calentar una sartén a fuego medio y añadir aceite.
7. Dar forma a la mezcla de pescado en bombas de 1½ pulgadas de diámetro.
8. Poner las bombas en una sartén y cocinarlas durante 5 minutos por todos los lados.
9. Pasar a papel de cocina y escurrir la grasa. Servir.

Nutrición: Calorías 318 Carbohidratos 3,45g Grasas 26,5g Proteínas 20,1g

Buñuelos de sardinas

Tiempo de preparación: 25 minutos

Tiempo de cocción: 35 minutos

Porciones: 6

Ingredientes:

- 2 libras de sardinas picadas
- cucharadita de sal
- cucharadita de cilantro
- ½ cucharada de jengibre molido
- ¼ de taza de espinacas, cortadas en trozos grandes
- cucharada de mantequilla
- cucharada de caldo de pescado
- cucharada de leche de coco

Direcciones:

1. En un bol, combine las sardinas, la sal, el cilantro y el jengibre. Revuelva suavemente.
2. Poner las espinacas en la batidora y batirlas durante 1 minuto.
3. Añadir las espinacas en la mezcla de sardinas y mezclar bien.
4. Formar bolas con la mezcla de pescado y aplanarlas.
5. Calentar la sartén a fuego medio y derretir la mantequilla.
6. Coloque los buñuelos de pescado en una sartén y fríalos durante 2 minutos por un lado.
7. Dar la vuelta por el otro lado; verter el caldo de pescado y la leche de coco.
8. A continuación, cierre la tapa y cocine a fuego lento los buñuelos durante 10 minutos.
9. Servir caliente.

Nutrición: Calorías 369 Carbohidratos 1g Grasas 24g Proteínas 38g

---

Calamares a la plancha con guacamole

Tiempo de preparación: 15 minutos

Tiempo de cocción: 15 minutos

Porciones: 3

Ingredientes:

- 2 calamares medianos
- Sal y pimienta negra molida al gusto
- ½ cucharadita de aceite de oliva
- Zumo de 1 lima
- Para el guacamole:
- 2 aguacates sin hueso
- tomate, descorazonado y picado
- Zumo de 2 limas
- Cilantro fresco picado
- cebolla, pelada y picada
- chiles rojos picados

Direcciones:

1. Separar los tentáculos del calamar y marcar los tubos a lo largo.
2. Frote los calamares y los tentáculos con pimienta negra, sal y aceite de oliva.
3. Caliente la parrilla a fuego medio-alto y ponga los calamares y los tentáculos con el lado marcado hacia abajo.
4. Cocinar durante 2 minutos, dar la vuelta y cocinar durante 2 minutos más.
5. Pasar a un bol y rociar todas las partes con zumo de lima.
6. Pelar y picar el aguacate.
7. En un bol mediano, aplastar el aguacate con un tenedor.
8. Añadir el tomate, el zumo de 2 limas, el cilantro, la cebolla y los chiles. Mezclar bien.
9. Servir los calamares con guacamole.

Nutrición: Calorías 498 Carbohidratos 6,95g Grasas 44,5g Proteínas 19,9g

Albóndigas de pescado

Tiempo de preparación: 12 minutos

Tiempo de cocción: 15 minutos

Porciones: 6

Ingredientes:

- 15 oz. de salmón, picado en trozos grandes
- ½ cucharadita de copos de chile
- cucharadita de perejil picado
- cucharada de eneldo picado
- cucharadita de sal kosher
- cucharadita de ajo picado
- huevos, batidos
- 8 oz. de harina de almendra
- cucharada de mantequilla
- ¼ de taza de caldo de pescado

Direcciones:

1. Poner el salmón en la batidora o en el robot de cocina y batir hasta que quede suave.
2. En un bol mediano, mezcle los copos de chile, el perejil, el eneldo y la sal.
3. Añadir el salmón mezclado a la mezcla de especias y remover bien.
4. Añadir el ajo y los huevos, remover con cuidado hasta conseguir una masa homogénea.
5. Formar albóndigas de 1½ pulgadas de diámetro y reservar.
6. Espolvorear las albóndigas con harina de almendras.
7. Precalentar la sartén a fuego medio y derretir la mantequilla.

8. Poner las albóndigas de pescado en la sartén y cocinarlas a fuego alto durante 1 minuto por ambos lados.
9. A continuación, añada el caldo de pescado y cierre la tapa. Cocer a fuego lento durante 10 minutos a fuego medio.
10. Servir caliente.

Nutrición: Calorías 209 Carbohidratos 1,75g Grasas 16,1g Proteínas 16,8g

Deliciosas Ostras Y Pico De Gallo

Tiempo de preparación: 10 minutos

Tiempo de cocción: 10 minutos

Porciones: 6

Ingredientes:

- 18 ostras; fregadas
- 2 tomates; picados.
- chile jalapeño; picado.
- 1/4 de taza de cebolla roja; finamente picada.
- 1/2 taza de queso Monterey Jack; rallado
- limas; cortadas en gajos
- Un puñado de cilantro; picado.
- Zumo de 1 lima
- Sal y pimienta negra al gusto.

Direcciones:

1. En un tazón, mezcle la cebolla con el jalapeño, el cilantro, los tomates, la sal, la pimienta y el jugo de limón y revuelva bien.
2. Colocar las ostras en la parrilla precalentada a fuego medio-alto; tapar la parrilla y cocinar durante 7 minutos hasta que se abran.
3. Transfiera las ostras abiertas a un plato resistente al calor y deseche las que no están abiertas
4. Cubra las ostras con queso y póngalas en la parrilla precalentada durante 1 minuto
5. Coloca las ostras en un plato, cubre cada una de ellas con la mezcla de tomates que has hecho antes y sírvelas con gajos de lima al lado

Nutrición: Calorías: 70 Grasas: 2 Fibra: 0 Carbohidratos: 1 Proteínas: 1

VERDURAS

Crema de espinacas con queso

Tiempo de preparación: 2 minutos

Tiempo de cocción: 8 minutos

Porciones: 4

Ingredientes:

- 2 cucharadas de mantequilla derretida
- 1/2 taza de cebollas picadas
- 2 dientes de ajo machacados
- ½ libra de espinacas frescas
- taza de caldo de verduras, preferiblemente casero
- taza de queso crema, cortado en cubos
- Sal sazonada y pimienta negra molida, al gusto
- 1/2 cucharadita de hierba de eneldo seca

Direcciones:

1. Pulse el botón "Sauté" para calentar la olla instantánea. A continuación, derrite la mantequilla; cocina las cebolletas y el ajo hasta que estén tiernos y aromáticos.
2. Añadir el resto de los ingredientes y remover para combinarlos bien.
3. Asegure la tapa. Elija el modo "Manual" y la presión alta; cocine durante 2 minutos. Una vez terminada la cocción, utilice una liberación rápida de la presión; retire la tapa con cuidado.
4. Servir en tazones individuales y en caliente. Buen provecho!

Nutrición: 283 calorías; 23,9 g de grasas; 9 g de carbohidratos; 10,7 g de proteínas; 3,2 g de azúcares

Hojas de nabo con salchicha

Tiempo de preparación: 2 minutos

Tiempo de cocción: 8 minutos

Porciones: 4

Ingredientes:

- 2 cucharaditas de aceite de sésamo
- 2 salchichas de cerdo, sin tripa, cortadas en rodajas
- 2 dientes de ajo picados
- puerro mediano, picado
- libra de hojas de nabo
- taza de caldo de hueso de pavo
- Sal marina, al gusto
- 1/4 de cucharadita de pimienta negra molida, o más al gusto
- hoja de laurel
- cucharada de semillas de sésamo negro

Direcciones:

1. Pulsa el botón "Sauté" para calentar la olla instantánea. A continuación, calienta el aceite de sésamo; cocina la salchicha hasta que esté bien dorada; resérvala.
2. Añade el ajo y los puerros; sigue cocinando en la sartén durante uno o dos minutos.
3. Añadir las verduras, el caldo, la sal, la pimienta negra y la hoja de laurel.
4. Asegure la tapa. Elija el modo "Manual" y la presión baja; cocine durante 3 minutos. Una vez terminada la cocción, utilice una liberación rápida de la presión; retire la tapa con cuidado.
5. Servir adornado con semillas de sésamo negro y disfrutar.

Nutrición: 149 calorías; 7,2 g de grasas; 9 g de carbohidratos; 14,2 g de proteínas; 2,2 g de azúcares

Espárragos con queso Colby

Tiempo de preparación: 2 minutos

Tiempo de cocción: 8 minutos

Porciones: 4

Ingredientes:

- ½ libra de espárragos frescos
- cucharadas de aceite de oliva
- dientes de ajo picados
- Sal marina, al gusto
- 1/4 de cucharadita de pimienta negra molida
- 1/2 taza de queso Colby, rallado

Direcciones:

1. Añade 1 taza de agua y una cesta de cocción al vapor a tu Olla Instantánea.
2. Ahora, coloca los espárragos en la cesta de vapor; rocía los espárragos con aceite de oliva. Esparce el ajo por encima de los espárragos.
3. Condimentar con sal y pimienta negra.
4. Asegure la tapa. Elija el modo "Manual" y la presión alta; cocine durante 1 minuto. Una vez terminada la cocción, utilice una liberación rápida de la presión; retire la tapa con cuidado.
5. Transfiera los espárragos preparados a una bonita fuente de servir y esparza el queso rallado por encima. Que aproveche.

Nutrición: 164 calorías; 12,2 g de grasas; 8,1 g de carbohidratos; 7,8 g de proteínas; 3,3 g de azúcares

Calabacín aromático mediterráneo

Tiempo de preparación: 2 minutos

Tiempo de cocción: 8 minutos

Porciones: 4

Ingredientes:

- 2 cucharadas de aceite de oliva
- 2 dientes de ajo picados
- libra de calabacines, cortados en rodajas
- 1/2 taza de puré de tomate
- 1/2 taza de agua
- cucharadita de tomillo seco
- 1/2 cucharadita de orégano seco
- 1/2 cucharadita de romero seco

Direcciones:

1. Pulse el botón "Sauté" para calentar la olla instantánea. A continuación, calienta el aceite de oliva; saltea el ajo hasta que esté aromático.
2. Añade el resto de los ingredientes.
3. Asegure la tapa. Elija el modo "Manual" y la presión baja; cocine durante 3 minutos. Una vez terminada la cocción, utilice una liberación rápida de la presión; retire la tapa con cuidado. Buen provecho!

Nutrición: 85 calorías; 7,1 g de grasas; 4,7 g de carbohidratos; 1,6 g de proteínas; 3,3 g de azúcares

SOPAS Y GUISOS

Sopa de tacos de pavo en Crock-Pot

Tiempo de preparación: 10 minutos

Tiempo de cocción: 4 horas

Porciones: 6

Ingredientes:

- libra de pavo molido
- 5 tazas de caldo de huesos de pollo (también puede utilizar caldo de pollo normal)
- taza de tomates enlatados en dados (sin azúcar añadido)
- taza de queso crema batido
- cebolla amarilla picada
- cucharada de chile en polvo
- cucharadita de comino
- cucharadita de ajo en polvo
- cucharadita de cebolla en polvo

Direcciones:

1. Añade todos los ingredientes a la base de una Crock-Pot menos el queso crema y cubre con el caldo de pollo.
2. Poner a fuego alto y cocinar durante 4 horas añadiendo el queso crema a las 3,5 horas.
3. Remover bien antes de servir.

Nutrición: Calorías: 335Carbohidratos: 6gFibra: 1gCarbohidratos netos: 5gGrasa: 23gProteína: 28g

Sopa de cordero y coliflor a fuego lento

Tiempo de preparación: 10 minutos

Tiempo de cocción: 4 horas

Porciones: 6

Ingredientes:

- libra de cordero molido
- 5 tazas de caldo de carne
- cabeza de coliflor, cortada en ramilletes
- taza de crema de leche
- cebolla amarilla picada
- dientes de ajo picados
- cucharada de tomillo fresco picado
- ½ cucharadita de pimienta negra molida
- ½ cucharadita de sal

Direcciones:

1. Añadir el cordero molido y la coliflor a la base de una olla.
2. Añada el resto de los ingredientes, menos la nata líquida, y cocine a fuego alto durante 4 horas.
3. Calentar la nata líquida antes de añadirla a la sopa. Utilice una batidora de inmersión para batir la sopa hasta que esté cremosa.

Nutrición: Calorías: 263 Carbohidratos: 6g Fibra: 2g Carbohidratos netos: 4g Grasa: 14g Proteína: 27g

Sopa de pollo al limón

Tiempo de preparación: 10 minutos

Tiempo de cocción: 4 horas

Porciones: 4

Ingredientes:

- 2 pechugas de pollo deshuesadas y sin piel
- 6 tazas de caldo de pollo
- ¼ de taza de zumo de limón recién exprimido
- 2 cucharadas de cebollino picado
- cebolla amarilla picada
- dientes de ajo picados
- Sal y pimienta, al gusto

Direcciones:

1. Añade todos los ingredientes a una olla de cocción lenta y cocina a fuego alto durante 4 horas.
2. Una vez cocido, desmenuzar el pollo y volver a mezclarlo con la sopa.

Nutrición: Calorías: 171 Carbohidratos: 6g Fibra: 1g Carbohidratos netos: 5g Grasa: 6g Proteína: 22g

Sopa de hamburguesa y tomate

Tiempo de preparación: 10 minutos

Tiempo de cocción: 4 horas

Porciones: 6

Ingredientes:

- libra de carne molida magra
- ½ taza de salsa marinara sin azúcar añadido
- ½ taza de caldo de carne
- ½ taza de queso cheddar rallado
- cebolla amarilla picada
- dientes de ajo picados
- Sal y pimienta, al gusto

Direcciones:

1. Añade todos los ingredientes a una olla de cocción lenta menos el queso rallado y cocina a fuego alto durante 4 horas.
2. Incorpore el queso y sirva.

Nutrición: Calorías: 209 Carbohidratos: 5g Fibra: 1g Carbohidratos netos: 4g Grasa: 9g Proteína: 26g

SNACKS

Galletas de parmesano

Tiempo de preparación: 10 minutos

Tiempo de cocción: 5 minutos

Porciones: 8

Ingredientes:

- Mantequilla - 1 cucharadita.
- Parmesano entero - 8 onzas, rallado

Direcciones:

1. Precalentar el horno a 400F.
2. Forrar una bandeja de horno con papel pergamino y engrasar ligeramente el papel con la mantequilla.
3. Colocar el queso parmesano en la bandeja del horno en forma de montículos, repartidos uniformemente.
4. Extender los montículos con el dorso de una cuchara hasta que queden planos.
5. Hornear unos 5 minutos, o hasta que el centro esté aún pálido, y los bordes estén dorados.
6. Retirar, enfriar y servir.

Nutrición: Calorías: 133 Grasas: 11g Carbohidratos: 1g Proteínas: 11g Sodio: 483 mg

Huevos endiablados

Tiempo de preparación: 15 minutos

Tiempo de cocción: 10 minutos

Porciones: 12

Ingredientes:

- Huevos grandes - 6, duros, pelados y cortados por la mitad a lo largo
- Mayonesa cremosa - ¼ de taza
- Aguacate - ¼, picado
- Queso suizo - ¼ de taza, rallado
- Mostaza de Dijon - ½ cucharadita
- Pimienta negra molida
- Rebanadas de tocino - 6, cocidas y picadas

Direcciones

1. Sacar las yemas y colocarlas en un bol. Colocar las claras en un plato, con el lado hueco hacia arriba.
2. Triturar las yemas con un tenedor y añadir la mostaza de Dijon, el queso, el aguacate y la mayonesa. Mezclar bien y sazonar la mezcla de yemas con la pimienta negra.
3. Vuelva a verter la mezcla de yemas en los huecos de las claras y cubra cada mitad de huevo con el bacon picado.
4. Sirve.

Nutrición: Calorías: 85 Grasas: 7g Carbohidratos: 2g Proteínas: 6g Sodio: 108 mg

Galletas de almendra y ajo

Tiempo de preparación: 10 minutos

Tiempo de cocción: 15 minutos

Porciones: 4

Ingredientes:

- Harina de almendra - ½ taza
- Linaza molida - ½ taza
- Queso parmesano rallado - 1/3 de taza
- Ajo en polvo - 1 cucharadita
- Sal - ½ cucharadita
- Agua según sea necesario

Direcciones:

1. Forre una bandeja para hornear con papel pergamino y precaliente el horno a 400F.
2. En un bol, mezclar la sal, el queso parmesano, el ajo en polvo, el agua, la linaza molida y la harina de almendras. Déjelo reposar de 3 a 5 minutos.
3. Poner la masa en la bandeja del horno y cubrirla con papel de plástico. Aplanar la masa con un rodillo.
4. Retire el envoltorio de plástico y marque la masa con un cuchillo para hacer abolladuras.
5. Hornear durante 15 minutos.
6. Retirar, enfriar y romper en galletas individuales.

Nutrición: Calorías: 96 Grasas: 14g Carbohidratos: 4g Proteínas: 4g Sodio: 446 mg

BATIDOS Y BEBIDAS

Batido de fresas con leche de coco

Tiempo de preparación: 2 minutos

Tiempo de cocción: 0 minutos

Raciones: 2

Ingredientes:

- taza de fresas congeladas
- taza de leche de coco sin azúcar
- cucharada de mantequilla de almendras suave
- paquetes de stevia opcional

Direcciones:

1. Poner todos los ingredientes juntos en el procesador de alimentos y batir hasta que se haga un puré.

Nutrición: 397 calorías 37g de grasa 15g de carbohidratos 6g de proteína

POSTRES

Cuajada de lima

Tiempo de preparación: 4 horas y 30 minutos

Tiempo de cocción: 10 minutos

Porciones: 3

Ingredientes:

- Mantequilla sin sal - 3 onzas
- Edulcorante de eritritol - 1 taza
- Huevos - 2
- Yemas de huevo - 2
- Zumo de lima - 2/3 de taza
- Ralladura de lima - 2 cucharaditas
- Agua - 1 1/2 tazas

Direcciones:

1. Ponga la mantequilla en un procesador de alimentos, añada el azúcar, mezcle durante 2 minutos, luego añada los huevos y las yemas y siga mezclando durante 1 minuto.
2. Añade el zumo de lima, bate hasta que se combinen y se forme una cuajada suave y luego vierte la mezcla de manera uniforme en tres tarros de mason de media pinta.
3. Encienda la olla instantánea, vierta el agua, inserte un soporte de trébol, coloque los frascos de vidrio sobre él y cierre la olla instantánea con la tapa en la posición sellada.
4. Pulse el botón "manual", pulse "+/-" para ajustar el tiempo de cocción a 10 minutos y cocine a alta presión; cuando la presión

se acumule en la olla, el temporizador de cocción se pondrá en marcha.

5. Cuando la olla instantánea emita un zumbido, pulse el botón de "mantener caliente", libere la presión de forma natural durante 10 minutos, luego haga una liberación rápida de la presión y abra la tapa.

6. Retira los tarros de la olla instantánea, ábrelos, añade la ralladura de lima, remueve hasta que se combinen y vuelve a cerrar los tarros con sus tapas.

7. Deje que los tarros se enfríen a temperatura ambiente durante 20 minutos y, a continuación, métalos en el frigorífico durante 4 horas o más hasta que se enfríen y la cuajada se espese.

8. Servir directamente.

Nutrición: Calorías: 78; Grasa: 4,5 g; Proteína: 7 g; Carbohidratos netos: 1 g; Fibra: 1 g;

Helado de galleta

Tiempo de preparación: 5 minutos

Tiempo de cocción: 2 horas

Raciones: 2

Ingredientes:

- Migas de galleta
- ¾ de taza de harina de almendra
- ¼ de taza de cacao en polvo
- ¼ de cucharadita de bicarbonato de sodio
- ¼ de taza de eritritol
- ½ cucharadita de extracto de vainilla
- ½ cucharada de aceite de coco, ablandado
- huevo grande, a temperatura ambiente
- Una pizca de sal
- Helados
- ½ taza de nata para montar
- cucharada de extracto de vainilla
- ½ taza de eritritol
- ½ taza de leche de almendras, sin endulzar

Direcciones:

1. Precaliente su horno a 300 grados F y cubra un molde para hornear de 9 pulgadas con papel encerado.
2. Bata la harina de almendras con el bicarbonato, el cacao en polvo, la sal y el eritritol en un bol mediano.
3. Añadir el aceite de coco y el extracto de vainilla y mezclar bien hasta que se desmenuce.
4. Batir el huevo y mezclar bien para formar la masa.

5. Extiende esta masa en el molde preparado y hornea durante 20 minutos en el horno precalentado.

6. Deje que la corteza se enfríe y luego aplástela finamente en migajas.

7. Batir la nata en un bol grande con una batidora de mano hasta que forme un pico duro.

8. Añada el eritritol y el extracto de vainilla y mezcle bien hasta que se incorporen por completo.

9. Vierta la leche y mezcle bien hasta que quede suave.

10. Añadir esta mezcla a una máquina de helados y batir según las instrucciones de la máquina.

11. Añadir los trozos de galleta al helado en la máquina y volver a batir.

12. Colocar el helado en un recipiente con cierre y congelar durante 2 horas.

13. Sacar el helado y servir.

14. Disfruta.

Nutrición: Calorías 214 Grasas totales 19 g Grasas saturadas 5,8 g Colesterol 15 mg Sodio 123 mg Carbohidratos totales 6,5 g Azúcar 1,9 g Fibra 2,1 g Proteínas 6,5 g

Helado de calabaza y nueces

Tiempo de preparación: 4 horas y 5 minutos

Tiempo de cocción: 0

Porciones: 4

Ingredientes:

- ½ taza de requesón
- ½ taza de puré de calabaza
- cucharadita de especia de calabaza
- tazas de leche de coco sin azúcar
- ½ cucharadita de goma xantana
- yemas de huevo grandes
- 1/3 de taza de eritritol
- 20 gotas de stevia líquida
- cucharadita de extracto de arce
- ½ taza de nueces picadas, tostadas
- cucharada de mantequilla salada

Direcciones:

1. Añadir la mantequilla a una cacerola y ponerla a fuego lento hasta que la mantequilla se vuelva marrón.
2. Batir el resto de los ingredientes en un recipiente aparte con una batidora de mano.
3. Batir esta mezcla en la heladera según las instrucciones de la máquina.
4. Mezclar las nueces con la mantequilla y añadirlas al helado.
5. Volver a batir y congelar durante 4 horas.
6. Disfruta.

Nutrición: Calorías 331 Grasas totales 38,5 g Grasas saturadas 19,2 g Colesterol 141 mg Sodio 283 mg Carbohidratos totales 9,2 g Azúcar 3 g Fibra 1 g Proteínas 2,1 g

9 781802 332155